Date Due

MADE IN CANADA

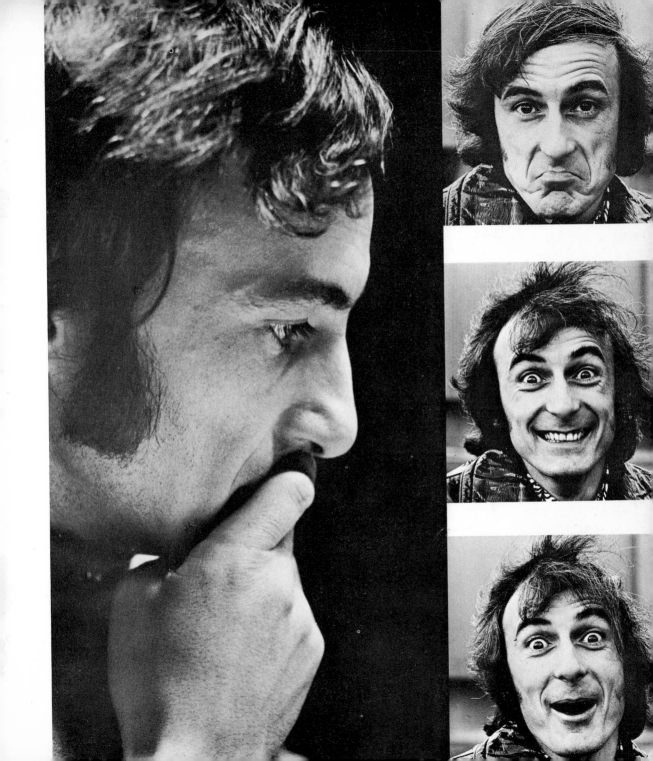

JEAN-V. DUFRESNE

yvon deschamps

COLLECTION **STUDIO**

les presses de l'université du québec

PHOTOGRAPHIES

Ronald Labelle : 1 à 4, 11, 12, 14, 17, 19,
20, 21, 22, 25, 28, 29, 31, 32, 33, 34, 37,
40, 41, 43, 44, 47, 49, 51, 52, 55, 56, 59,
61, 62, 65, 68, 69, 71, 72, 75, 77, 79, 80,
93, 94

Javane : 49, 65, 83, 84, 88

DISCOGRAPHIE

Polydor

ISBN 0-7770-0040-7

Les Presses de l'Université du Québec

Dépôt légal — 4e trimestre 1971
Bibliothèque nationale du Québec

Moi, ma mère est tannée d'attendre ! Elle a hâte
d'être délivrée comme a dit. Elle pense que je le
sais pas. C'est vrai, elle s'imagine, que j'entends
rien, que je pense pas elle est même toute surprise
quand je bouge. Ah. Elle aime pas ça, ça lui
donne une raison de se faire tâter le ventre. Mais
elle a quand même hâte d'être débarrassée comme a dit.
Moi j'trouve ça ben d'valeur de penser que je vais être
obligé de sortir d'ici. Je suis tellement bien. C'est
pas grand OK. Mais je suis pas obligé de cohabiter
avec personne. En plus il paraît que dehors t'es obligé de parler 2 langues, ici j'ai même pas besoin de ~~langue~~
besoin de parler, j'ai pas même besoin de langue. Ma
mère me nourrit, me tient me transporte, y a une
qu'une chose c'est qu'à fume trop. Ça fait comme
j'peux pas tousser, j'étouffe, ça s'remplit de fumée à
rien, mon système d'aération est pas très bon.
Remarquez que ça doit être bon, quand ch'te ben étouffé
j'm'endors. Ça fait une chose c'est p'tê' va être
la première étonnée ~~si je suis~~ faire pis j'serai pas
un enfant fort +

     Attends, ça parle .... Ah c'est rien d'important
comme d'habitude ... C'est ce que j'aime ici, j'entends
un peu ce qui s'passe à l'extérieur mais seulement quand
ça parle de très proche, pis même là, c'est juste des
sons étouffés, emmêlés. Des fois il me vient
d'la lumière d'en bas, pas beaucoup, juste trop.
J'aime pas ça la lumière, on dirait que ça gruge
les affaires, ça dérange, c'est dérangeant. Ici à la noir-
ceur et au chaud, c'est dans c'est noir moi je suis comme

Non j'suis gêné, veux-pas me tromper que ça c'est
pas vrai, je suis pas gêné — Avant j'étais gêné
cnrut, même que j'étais très gêné, mais là c'est
gêné, j'suis gêné, mais seulement j'ai honte,
c't'épouvantable — ~~Pas j'en avais devoir honte~~
Plus pour adéjine plus pour ça honte, pis j'
raime devoir honte, ~~et~~ ore tout ça qui s'passe et
tout le monde devrait avoir honte — Pen rira même s'
tellement honte que j'ose plus sortir, j'ai tellement
honte que ça me gêne, c'est grave en caline ça
pour piloner j'étais gêné cnrut mais j'en avais
pas honte — mais là j'ai tellement honte que me
si j'sius gêné ça gêne pareil, on rit plus
Je me sentais mieux quand j'étais gêné — Parce
que dans ctemps-là, je m'ais rien, je parlais pas
à personne, du moment que j'avais déjine — On dira
que la honte r'la santé dans face — Aplushr — à me
tout éclaboussé — P5 j'pas le cul dk — simily de rao
fais rui aller rin que tout Oremple j'ai téléphone
y ont honte, fais j'ont rain. Brument, du pa
mal, On sais pas parler — On vient pour rparler
fais — — — — — rit dit rien que des manières, c'est
rendu que y a des spectacles, on gueule en a qui
sacre tout, juste rinsle aime ça — une clам qui en
a pas bedrunf — fare que le rai monde eup-autres
y en veulent pas — J'int à tut — Je le vais l'autre
jour ène femme à téléphonait à radio, fais à parlait
de ça, du langage vulgaire pis tout, est-ce pas capab'
ète femme là) se rin pront plus, ça e rentait — rā
quelle ba dit, a dit, monsieur quand est-ce qu'

LE RITUEL DU MONOLOGUE

C'était au soir des *Poèmes et chants de la résistance,* une veille assez cocardière à laquelle il hésitait un peu à participer, peut-être parce qu'on y fabriquerait ce soir-là des mythes fleurdelysés. Y ayant été invité à la toute dernière minute, au lendemain des arrestations massives, il ne savait trop quel monologue pourrait bien convenir à une manifestation comme celle-là.

Cinq minutes avant d'entrer en scène, l'idée lui vint d'improviser un monologue qui aurait tous les aspects d'une charge contre les Anglais, mais qui constituerait, au fond, une critique amusée et très juste de nos réflexes nationaux les plus détestables.

En réalité l'idée lui vint à mesure. Je savais bien qu'il sortirait quelque chose de cette improvisation, car tout juste avant de se laisser prendre par les réflecteurs, sur la petite scène du Gésu de Montréal, tandis que je l'observais dans la coulisse, il marchait de long en large, d'un pas inimitable emprunté aux fauves en cage, le pouce de la main gauche fermement appuyé contre le fil des dents.

Pépère, ce soir-là, n'aurait pu enlever la salle, à en juger par les têtes qui se trouvaient là, chacune réclamant son Anglais. C'était un de ces soirs où l'on sent que la rue soudainement peut s'emparer des gradins.

Improvisé d'un trait, le monologue dura bien quinze minutes. L'auditoire monta comme un beau ballon jusqu'à la zone si rarement accessible du rire pur.

Yvon Deschamps aurait pu emprunter comme tant d'autres les thèmes rebattus de la québécitude, et ma foi la tentation était grande : la loi sur les mesures de guerre leur avait donné le ton.

L'anecdote est digne de mention, car elle montre comment cet artiste s'est accompli en transcendant toujours son époque, tout en tirant ses matériaux de l'actualité la plus immédiate.

Intitulé *les Anglais,* ce monologue est un chef-d'œuvre d'humour meurtrier. De cette intervention des forces fédérales, de ces perquisitions à la mitraillette, de ces arrestations préventives au creux de la nuit, de ces détentions inutiles, nul n'est responsable, sinon les Canadiens français eux-mêmes. Sans eux, la sécurité de l'État, des biens et des personnes n'eût jamais pu être convenablement assurée. Grâce à nous, peuple enfin libéralement émancipé, le Québec retrouvait la paix si durement conquise des années cinquante. Par la grâce de nos

10

élus, nous triomphâmes de la répugnance inquiétante des anglophones à voter des mesures d'exception, sans lesquelles c'eût été l'anarchie.

Dans tous ses autres monologues, et par son style même, et par l'usage de la langue, ce sont ces années-là, si étrangement tranquilles, qu'évoque Yvon Deschamps, ces années durant lesquelles, pour la troisième fois depuis 1837, le Canadien français replongeait dans l'aliénation collective. Car il y eut bien aussi le début du siècle, et la Dépression.

On imagine mal Deschamps jouant les hippies, et peut-on soutenir qu'il est moins actuel que la sous-culture californienne ? On l'imagine aussi mal endosser le maillot des Chevaliers de l'indépendance, ou interpréter des chansons néo-héraldiques. Et c'est à cause de cela même qu'il est pour nous, Canadiens français, et principalement les Québécois, porteur d'une dimension sociale et politique plus prégnante que toutes les batteries patriotardes qui ont découvert dans les sentiments nationaux les plus authentiques un produit on ne peut plus conforme aux exigences démagogiques du marketing idéologique. Il n'y a guère peut-être que Gilles Vigneault qui puisse dire le mot Patrie sans nous faire peur, et encore l'écrit-il, ce mot, délicatement, Pays.

Yvon Deschamps lui-même n'ose pas, et pourtant il sait ce que pourraient lui rappor-

ter ces mots, aujourd'hui, en espèces son-
nantes, ou en prestige de tribunes. Cela
tient peut-être à une pudeur chez lui quasi-
ment professionnelle ; son métier à lui, c'est
de vous convier aux envoûtantes agapes
d'un humour populaire, mais sans pour autant vous passer la nappe autour du cou,
si d'aventure vous étiez aussi incultes que
ses désolants personnages.

Si Deschamps parvient à se faire aimer
de toutes les foules, sans héroïsme, c'est
que l'art qu'il a choisi, le monologue, c'est
l'art de l'anti-héros.

Comme avant lui Jean Narrache, Gratien
Gélinas, ou ses contemporains plus immé-
diats Gilles Pellerin, Clémence Desrochers,
Raymond Lévesque, il se sert d'un mode
qu'on dirait expressément conçu pour donner une voix à ceux dont la vie, marquée
d'avance, ne connaîtra jamais le privilège
surhumain de la tragédie. Et si parfois il
évoque un être satisfait et comblé, c'est pour
rappeler que ce sont ces êtres là qui sont le
plus à plaindre, puisqu'un bonheur trop
durable, trop beau, frise l'insulte par sa prétention.

Au contraire, la banalité de l'existence,
les mesquineries quotidiennes, l'impuissance
à ne jamais pouvoir un jour triompher du
plus fort, une sorte de penchant à la dépen-
dance, nourri par l'instinct de survivre piteu-
sement, nous convainquent que les personnages d'Yvon Deschamps ne seront jamais

malheureux, parce qu'ils sont incapables de se révolter *pour de vrai* contre les maîtres de leurs infantiles destinées. Nous ne nous apitoyons jamais sur eux.

Même la mort, chez Deschamps, ne peut accéder aux dimensions du tragique. C'est une irritation, tout au plus, une contrariété passagère dans une vie entièrement réglée par l'attente du bonheur, que les actes quotidiens, sitôt réaménagés, rendent étrangement soutenable. Je dirais, maladivement. La mort fait rire d'elle dès que Deschamps l'évoque, comme s'il exhibait un accessoire de scène fait pour se « bidonner la canaille ». Au pire, c'est un battement d'aile triste dans la volière des phantasmes, où vont mourir les oiseaux roses et noirs du cœur.

Peut-être la mort est-elle la préfiguration du bonheur ? Il y a chez Deschamps une patience presque désespérante du paradis terrestre. Cet état d'attente est-il un trait de la réalité collective du Québec, toujours teintée de l'idéalisme judéo-chrétien ? En tous cas, l'attente soustend chacun de ses monologues, comme si dans l'univers qu'il nous offre, on ne pouvait pas ne pas être ainsi, par fatalité, ne fût-ce que pour pouvoir « voir arriver » ce qui va se passer.

Cela produit des images cruelles, mais dont on rit, comme de tout, comme de l'image du bonheur, qui est comme un train qui passe. Cela appelle des ambitions restreintes, comme le rêve d'un bon *boss* et d'une

job steady. Images à la mesure d'hommes et de femmes sans liberté, parce qu'ils n'ont pas su choisir.

L'homme d'Yvon Deschamps, c'est un homme qui subit, à quelque milieu qu'il appartienne, quel que soit son degré d'instruction, il a consenti, historiquement, à attendre que d'autres viennent façonner pour lui son destin. Sur lui les événements ont une emprise à peu près totale ; il exerce sur eux une influence si mesquine qu'il finit par n'exister que par défaut. L'ensemble de sa vie est fait d'actes et de décisions qui lui sont étrangers.

Sa dimension, il l'emprunte à des situations si incontrôlables que leur sens même souvent lui échappe ; ce à quoi il sourit en se prenant pour un niaiseux. Son caractère pittoresque, il le tient de ce qu'il y a de franchement comique dans son impuissance, qui va, lamentablement, jusqu'à l'incapacité d'être malheureux. Par peur de la liberté, il se prémunit contre les risques d'un bonheur vrai, fait de richesse, d'aisance matérielle et de dignité, parce que ce bonheur serait trop difficile, trop long à atteindre ; parce que ce bonheur demanderait la recherche de la liberté.

Alors, il attend toujours, que le bonheur vienne, sans avoir à aller le chercher. Dans un état proche de l'euphorie, il attend même la mort avec un sourire résigné. Il raconte et nous écoutons, auditoire complice, car

viendrait-il à l'esprit d'un spectateur charitable de l'*avertir* de son indicible candeur ?

Ainsi, Deschamps fait parfois silence sur scène, comme s'il accomplissait un rituel intérieur. Il s'arrête pendant plusieurs interminables minutes, après avoir raconté une histoire qui devrait être une tragédie, mais qui n'est plus qu'une ennuyeuse « achalanterie » — la mort de sa femme, par exemple, dans *le Bonheur,* qui ne fit que cela, attendre, elle aussi — et l'auditoire attend avec elle, comme Deschamps, qu'il lui arrive, qu'il nous arrive quelque chose. Quelque chose comme le bonheur, la chance, tout juste assez de chance pour que son bonheur et le nôtre puissent continuer d'être mesquins.

Le spectateur se prend même à envier la désolante fatalité qui impose à ces créatures imaginées, mais combien réelles, un univers si pathétique que d'aucuns voudrait le partager avec lui, une fois le rideau tombé. Pourtant, le spectateur, qu'il sorte du théâtre ou du cinéma, ne veut s'identifier qu'à des héros. Mais l'homme d'Yvon Deschamps, c'est tout le contraire du héros.

DESCHAMPS : L'ÊTRE DE TRANSITION

Dans un article sur le monologuiste, pour accompagner un programme de tournée, nous écrivions : « ...il fera une sainte colère un de ces jours, et il la fera ce jour-là où nous aurons décidé de la faire tous ensemble, lorsque nous aurons choisi de retrouver le pays réel, enfin libérés de ces réflexes historiques qui nous ont si longtemps obligés à nous réduire à des dimensions aussi pathétiques, pour nous découvrir à nous-mêmes. »

Deschamps est un enfant du ghetto québécois. Lorsque l'Histoire et la bêtise choisissent de contenir un peuple dans la servilité, ou lorsqu'un peuple trouve dans l'Histoire prétexte à s'y complaire, ce peuple développe un réflexe de repli. Mais il développe aussi l'art de la survivance, qui n'est qu'une sorte d'ingéniosité de l'âme, car il lui faut inventer à partir de sources nouvelles, celles-là même qu'une culture étrangère, ou la guerre, ou la conquête avait brouillées jusqu'à les rendre méconnaissables.

Rien, semble-t-il, ne peut plus arrêter Yvon Deschamps de découvrir, d'arranger, de ramancher, sa langue française à lui, ce qu'il en reste, la nôtre, comme elle est, belle mais brutale, douce mais irritante, pourrie d'anglicismes, d'archaïsmes, mais terriblement rebelle. Une langue si évocatrice, si juste dans sa manière à lui de l'utiliser, qu'elle fait peur, parfois. On se dit, mais si cet homme là avait des lettres !

Il en a, ne craignez rien. Et il ne s'agit pas ici d'opposer la culture québécoise à la culture française, mais de rappeler que cette culture française dont on parle avec autant de soin, dont on cherche aujourd'hui à imposer les formes par une sorte d'impérialisme culturel, n'a jamais été accessible à l'ensemble des Canadiens français, depuis le régime français jusqu'à nos jours.

Ce que nous avons pu acquérir de la culture d'outre-mer, traditionnellement réservée à la haute bourgeoisie de chez nous, déjà pieusement nettoyée de ses valeurs les plus démocratiques, n'eut jamais de sens réel que pour une élite restreinte, qui s'était au surplus donné pour mission de sauvegarder à travers elle, la morale et la vertu du peuple canadien-français, dans la plus ardente soumission des ignorants. Mais comment voulez-vous, sans être loufoque, que dans ces conditions on puisse un instant s'étonner que le français d'ici n'a peut-être pas tout à fait la civilité du français de là-bas ?

A vrai dire, toutes les cultures, si l'on veut, et les plus dominantes, constituent une forme ou une autre de ghetto. Normalement, si l'Histoire avait voulu de nous à l'époque où ce pays fut découvert, sans doute serions-nous aujourd'hui en train de parler un français plus aéré, mieux articulé, plus proche du français de l'ancienne métropole.

A défaut d'avoir pu, une fois devenus nord-américains, nous replier sur la culture française, parce que l'histoire nous l'interdit formellement, après 1763, c'est sur nous-mêmes que s'accomplit le repli. Il fallait bien se replier sur quelque chose.

Ce qui mérite de s'appeler le modeste génie québécois, c'est d'avoir pu survivre, en créant des formes nouvelles, des moyens de communiquer qui étaient nôtres, parce qu'il y avait ici dans ce pays nouveau de nouvelles choses à dire, pour lesquelles la langue d'hier n'était pas faite.

Celle d'Yvon Deschamps n'est point la négation de la langue française, bien au contraire, c'est la prise en charge de cette langue dans un commencement *pour de vrai* qui n'eut jamais véritablement lieu. Yvon Deschamps parle français certes, mais avec plaisir et non sous la dictée d'un impérialisme culturel, non plus pour afficher un statut social, non plus pour exercer un devoir civique comme l'implorait jadis la devise de La Presse, encore moins par patriotisme, mais par jeu, par envie d'être, par goût d'inventer de nouveaux symboles, de se saluer entre nous pour nous reconnaître d'instinct.

Comme avant d'être Français, fallut-il encore être français, avant d'être ce que l'Histoire fera de nous, faut-il encore être québécois et ma foi, cela vaut tout autant pour n'importe quel homme dans n'importe quel pays. De l'importance d'être albertain, dirait un drôle. Mais il n'aurait pas tort.

Nous avons choisi d'être des hommes de refus, nous nous sommes condamnés à l'exil culturel. On appelle cela l'aliénation, et cela ne tient pas qu'à la langue, qui n'est qu'une forme d'invention que l'Histoire a réprimée sur notre sol. De cela aussi Yvon Deschamps se fait malgré lui le témoin et c'est peut-être pourquoi ayant ri de ses personnages, nous avons aussi parfois envie d'en pleurer.

La langue parlée de Deschamps, celle qu'il utilise à présent, c'est la langue française du Québec en devenir.

Demain, il se peut que Deschamps n'ait plus qu'une valeur de musée. Et alors, Deschamps aura cessé d'être Deschamps, et sa langue, et la nôtre seront devenues autre chose pour exprimer un temps nouveau, comme jadis le « souffhrance » de Fridolin qui bien avant Charlebois porta sur scène le chandail du Canadien et comme depuis longtemps la France a cessé d'être racinienne sans pour autant avoir cessé d'être française.

Il fallait que ça change au Québec. Cela a commencé de se faire et se fait, au mépris scandalisé des faiseurs de politiques culturelles, dans un charivari du diable, avec masochisme parfois, comme cette façon de mal parler ou de mal écrire exprès pour affirmer son droit de ne pas « bien parler », c'est-à-dire de ne pas s'exprimer à la manière de ceux, qui ici même, persistent à penser que le Québec ne doit jamais être, ou ne pourra jamais être, même s'il le voulait, qu'un sous-produit de l'impérialisme culturel étranger — anglais ou français peu importe — c'est-à-dire essentiellement bourgeois.

Refuser cette contestation, c'est refuser à un peuple d'assumer son destin dans la langue qu'il choisit, c'est lui refuser de parler. C'est opposer à son vouloir d'inventer, un *welfare-state* culturel; c'est vouloir imposer le silence à tous ceux qui découvrent la magie de la parole, car il ne faut pas se méprendre : cette langue là, avec toutes ces scories exprime des émotions qui sont nées de situations pour lesquelles il n'existe pas, il ne peut pas exister d'autre langue que celle qui se fait ici, parce que ces situations là sont québécoises. Ce sont peut-être les situations trop québécoises que les élites redoutent, plus que la détérioration de la langue...

Ceux qui refusent cette révolte là, on les reconnaît à leur position dans la société: eux s'abreuvent à la « belle culture », parce

qu'ils ont les moyens, tout simplement, d'aller à l'abreuvoir. Et c'est ce privilège d'élite surtout, plus que la culture elle-même, qu'ils désirent conserver.

Leur plus grande tragédie, ce n'est même plus la disparition du cours classique ; c'est l'accession de centaines de milliers de petits Deschamps à l'enseignement supérieur, et qui comprendront Racine mieux que les élitistes. La raison en est bien simple : ils se comprendront mieux eux-mêmes, dans cette nouvelle langue qui est la leur.

Miroir méticuleusement réfléchi de la réalité québécoise, Deschamps traduit une réalité, rien de plus. Que change cette réalité, il changera aussi l'image qu'il porte en lui, de l'homme québécois.

DESCHAMPS, OU LES CHOSES
QUI ARRIVENT

À force d'attendre, on finit par ne plus être malheureux. S'il est une constante dans les monologues d'Yvon Deschamps, c'est celle-là. L'habitude d'attendre, une patience presque biologique à subir l'événement, une sorte d'impuissance totalement assimilée devient, à la longue, une forme d'espoir.

Ses personnages souffrent d'une douleur douce, distraite seulement que par le candide étonnement quotidien, comme si la vie était une guirlande de petites bouées multicolores auxquelles ils s'accrochent, presque par hasard, au moment où il serait tout naturel de se laisser couler à pic, sans se demander pourquoi vivre.

Deschamps s'explique là-dessus :

> Mes personnages ne peuvent pas être vraiment malheureux. Et ça, ça vaut pour tout le monde. Moi, rendu passée la trentaine, j'ai découvert que tout ce en quoi j'avais cru, ça ne jouait pas un grand rôle dans ma vie. Pour moi, tu es marqué, tu viens au monde un privilégié dans

n'importe quelle situation. Je ne veux pas dire que tu vas être ou riche ou pauvre, mais que tu vas être *foncièrement* heureux ou *foncièrement* malheureux. Alors, que tu sois chanceux ou malchanceux, qu'il t'arrive n'importe quoi, que tu fasses ou non de l'argent, ou tu es heureux aux trois quarts, ou tu es malheureux aux trois quarts. Il n'y a rien à faire, c'est décidé bien avant que tu ne viennes au monde.

Cette fatalité, Yvon Deschamps l'incarne notamment dans un monologue très difficile, avec beaucoup de délicatesse. Dans *le fœtus* se retrouve un être si parfaitement comblé qu'il ne désire plus naître, convaincu que le malheur l'attend au premier jour. Il souhaiterait mourir dans le ventre de sa mère.

Cette fatalité protège aussi les créatures de Deschamps. Si on est heureux, on l'est aussi à cause d'elle, tout autant que si le malheur n'avait de cesse :

Mes personnages sont heureux, malgré tout. Malgré n'importe quoi, le gars reste essentiellement heureux, il ne peut pas faire autrement que d'avoir de grandes joies, parce que dans n'importe quelle situation, toujours, il trouve une petite affaire qui va le rendre heureux. Par exemple, si sa femme meurt, c'est, triste, mais par contre le *boss* est

venu à l'enterrement, et pendant tout ce temps-là, il a regardé le *boss* qui était là, et il était content.

Il y a là la soumission de l'être qui subit, et que l'on observe dans presque tous ses autres récits. Pour l'intelligence des textes d'Yvon Deschamps, il ne faut voir dans aucun de ses monologues distincts une œuvre entière, encore qu'ils soient conçus par l'auteur comme un tout, conformément aux nécessités du spectacle, et à la psychologie de la chose racontée : un commencement, un milieu, une fin, précédés et suivis pour la plupart de deux chansons qui rappellent le thème du monologue.

Il existe une continuité d'un monologue à l'autre, parfois dans les situations, mais surtout dans les personnages : Deschamps enfant et adolescent, le gars d'usine, son petit, sa femme, sa mère, le vieillard. Ce ne sont pas des personnages comme au théâtre, mais plutôt des portraits : le seul véritable personnage qu'a créé Deschamps, c'est Deschamps lui-même, qui se transforme sur la scène au gré des choses qu'il raconte, et souvent de la manière la plus imprévue.

Parler de portraits même serait un peu abusif. Cela laisserait croire que Deschamps s'est donné pour mission de dépeindre des mœurs, de décrire une société, et il n'en a ni la prétention, ni l'envie :

Je m'observe moi-même, et les autres y trouvent ce qu'ils y voient, et souvent nous ne voyons pas les mêmes choses, car rien n'est ni blanc, ni noir. Mais je ne suis pas l'observateur des autres.

De sorte qu'en l'absence de personnages, auxquels il aurait donné des noms, s'il avait réellement voulu les créer tels, — on peut parler plutôt de thèmes, élaborés au fur et à mesure de sa carrière et de sa vie, à une époque d'ailleurs où l'idée de « faire » du monologue ne lui avait même pas traversé l'esprit.

Dans *l'Argent,* qu'il a endisqué avec *le Bonheur,* son premier « classique », Deschamps raconte l'histoire invraisemblable d'une famille de douze qui vivait dans une cour, ayant pour tout abri un garage.

C'est bien triste, ils sont restés là treize ans, mais je n'ai jamais vraiment eu l'impression qu'ils pouvaient être malheureux, pas possible. Parce qu'ils étaient si peu choyés, mes personnages, par la vie, qu'ils s'accrochaient à tout, la moindre petite chose que toi, tu ne remarques pas, parce que la vie t'en donne trop, peut-être...

Cette relation avec la vie de Deschamps, son adolescence surtout, charge ses monologues d'une émotion authentique. Elle confère d'autre part à tous ses textes une

unité séduisante : le spectateur est certain, en « allant voir » Deschamps, de retrouver un monde qui lui est déjà familier, mais qui chaque fois lui procure de nouvelles surprises.

« Dans certaines situations, explique-t-il, en récitant un monologue sur scène, je pense à la phrase qui s'en vient. Pas d'avance, mais en suivant le *feeling* du texte. Le lendemain, tout peut être changé, toute l'optique ; c'est vivant tout le temps, chaque jour comme une chose nouvelle. Ce n'est pas une affaire écrite et réglée comme une pièce de théâtre, mais une chose avec laquelle tu vis, et qui change à mesure ».

« C'est toujours moi, dans tous mes textes. Je ne crée par de personnages. J'avais besoin, oui, si l'on veut, d'un personnage qui me permettrait de travailler. Je pouvais le transformer suivant toutes les situations ».

Ces transformations improvisées, si elles sont heureuses, et la réaction du public est capitale ici, sont consignées dans un cahier où Deschamps conserve soigneusement tous ses textes, rédigés avec une écriture appliquée, qui n'est pas sans rappeler un exercice scolaire. Il ne se sert jamais de moyens électroniques pour « essayer » ses monologues. La raison est simple : Deschamps n'a pas à « trouver le ton », à s'interpréter, comme le fait un comédien lisant un texte

qui n'est pas de lui, ou jouant un personnage qui n'est pas lui.

On pourrait, par analogie, assimiler l'œuvre de Deschamps, quant à sa technique, à ces albums de bandes dessinées dont le héros — ou l'anti-héros — est parfaitement campé, facile à identifier, avec des réactions parfaitement prévisibles ; et où le dénouement de l'action n'est jamais le même, d'une aventure à l'autre. Car il s'agit bien, au fond, d'aventures, vécues tranche par tranche.

Ce n'est pas la fin de l'histoire qui passionne le spectateur. Les monologues de Deschamps, d'ailleurs, se terminent rarement sur un *punch* fracassant. Le plaisir du public, c'est de voir fonctionner une mécanique dont il connaît maintenant les rouages par cœur — parce qu'on *retourne* voir Deschamps — mais dont le montage, derrière une simplicité d'expression élémentaire, est soigneusement étudié. Il y a là tellement de minutie, de virtuosité, qu'on dirait une improvisation pure.

Le *boss* est un des thèmes privilégiés de l'auteur. Il pourrait lui donner un nom s'il le désirait, « car dit-il il habitait près de chez nous à la campagne ». Deschamps y voit-il une autre justification que celle de faire écho aux réflexions navrantes de son petit ouvrier exploité ?

Si l'on veut, concède l'auteur. Je lui demande s'il accorde à son art une fonction sociale ou politique qui, à la longue, dépasse l'essentiel métier de monologuiste.

J'y ai pensé, et j'ai eu peur, parce que là, je prends des responsabilités que je n'ai pas. Je me prends pour un autre, je deviens « celui » qui représente le québécois moyen, que tout le monde écoute, et mon Deschamps fais bien attention à ce que tu vas dire et comment tu vas le dire.

Dans le fond, c'est plus simple que cela : si moi j'ai envie de dire quelque chose, c'est pour moi que je le dis, et je le dis à haute voix. De toute façon, l'interprétation que les autres en font, ce n'est jamais mon interprétation à moi.

Dans *les Unions, qu'ossa donne,* il se fit prendre, un soir. Trois solides armoires qui venaient d'écouter le monologue l'interpellent après le spectacle : « T'as raison, Deschamps, les unions, ça vaut pas de la m... » Et l'un d'ajouter : « Mais c'est pas la vraie vie, ton affaire, des employés dociles comme ça, y s'en fait plus aujourd'hui ».

Comme quand je faisais *Les Anglais,* au récital des *Poèmes et chants de la résistance,* les spectateurs sont contents parce que je parle contre eux, ils ne comprennent pas que

46

c'est le contraire que je disais. Comme j'utilise un vocabulaire restreint et que je fais passer des sentiments et des anecdotes simples, c'est tout ce qui n'est pas écrit qui est important, et tout ce qui n'est pas écrit, c'est le spectateur qui l'imagine. Chacun fait son affaire à lui...

Le monologue, le gars le comprend comme il le veut ; il comprend ce qu'il veut que ça lui dise, pas ce que ça dit vraiment. C'est pourquoi j'écris pour mon plaisir, des choses qui me touchent, au sujet de problèmes qui sont les miens, et j'essaie de ne pas me poser de questions : si c'est dangereux, ou qu'est-ce qu'ils vont comprendre...

Deschamps n'échappe pas pour autant à l'expérience collective. Le monde qu'il décrit à travers lui, ce monde des années cinquante qui permet au spectateur d'aujourd'hui de rire de lui-même avec vingt ans de *détachement* un peu hypocrite, cela aussi fait partie de la collectivité, et Deschamps ne l'imagine pas. Le *boss* existe bel et bien, il a fait construire sa maison par ses employés, fait tondre la pelouse pour un dollar la journée à un vieillard de soixante-quinze ans, et « coupé » sur la paye sans scrupule.

Deschamps a peut-être choisi de rire de tout cela pour nous donner à nous, spectateurs, le loisir d'évoquer un parallèle entre

ce patron et le respect frileux qu'il inspire ; un respect qui frise l'admiration pour celui qui a réussi. Ou bien on réussit à devenir un *boss*, ou on réussit à s'en trouver un bon. Telle semble l'alternative des « gars » de Deschamps : un besoin fou de sécurité, parce que leur vie leur interdit toute initiative ; et un besoin aussi grand d'autorité, d'où ils tirent la sécurité dont ils ont besoin, comme le lait d'une mamelle.

Ce thème revient aussi dans *l'Argent,* où les principaux personnages — nous utilisons le terme à défaut d'un autre plus convenable — sont le père dont la vie est un échec risible et les enfants qui redoutent presque avec volupté les navrantes manifestations de son autorité. Ils s'enorgueillissent de ses colères impuissantes. Ils le respectent aussi, car ils y trouvent leur seule identité possible. Dans *Pépère*, un monologue antérieur, les enfants expriment une affection inconsciente dans la moquerie, et cela va jusqu'à la cruauté. Ils aiment le grand-père, parce qu'il était une occasion d'« avoir du *fun* ».

On retrouve de nouveau le thème de l'autorité dans *Dans ma cour,* un monologue plus récent, où seize mères de familles, qu'on imagine toutes un peu faites comme les tartanpions de Berthio, règnent terribles et giflardes sur une meute de morveux qui trouvent tout leur bonheur d'arrière-cour dans l'imminence d'une taloche. Dans l'enfance comme à l'âge adulte, de la bassinette

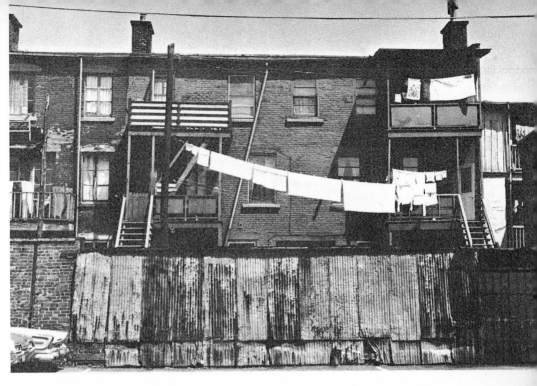

à la « shoppe », la même crainte, le même besoin de craindre. La sécurité ne se trouve nulle part ailleurs, parce qu'il n'y a rien d'autre.

Parfois, Yvon Deschamps s'échappe de sa cour. Son personnage — lui-même — monte en scène, s'approche du microphone, et raconte à voix basse, ayant jeté un regard malicieux mais inquiet dans la coulisse, ses dernières aventures. Un climat de méfiance complice s'installe dans les gradins lorsqu'il se met à parler de son *boss.* Qui sait s'il n'écoute pas lui aussi ? C'est Pinocchio venu nous convaincre qu'il a assassiné sa petite sœur. Qu'il a mis le *boss* à sa place, Qu'il a rencontré, failli rencontrer le bonheur. Qu'il a appris que le frère de son *boss* est ministre. Qu'il a le « câble ». Ou qu'il n'est plus gêné. Ou qu'il a honte.

Au Québec plus longtemps qu'ailleurs en Amérique, la tradition orale fut le seul véhicule de la culture. Ce n'est que depuis peu que le Canadien français prend plaisir à la langue écrite.

Les progrès technologiques ont voulu malheureusement que l'essor des communications électroniques coïncide à peu près, ici, avec l'émergence de la tradition écrite. Nous ne parlons pas d'écriture, comme tel, mais d'une convention par laquelle les Canadiens français ont choisi l'écriture pour transmettre des valeurs auxquelles ils avaient consenti de réfléchir.

53

La confrontation de ces deux techniques, et la suprématie apparente de la nouvelle sur l'ancienne, peuvent satisfaire ceux qui croient qu'une culture est faite pour se substituer à une autre. Pourtant, rien au monde n'a valeur totale de remplacement. L'incapacité d'écrire ne confère pas la capacité de parole ; elle compromet simplement la capacité d'exprimer, et mène à l'aliénation.

Il est un des monologues d'Yvon Deschamps qui n'a peut-être pas l'éclat de textes mieux connus, parce que plus anecdotiques, comme *les Unions* ou *l'Argent.* Je parle de *la Honte,* endisqué en 1970 en même temps que le *Fœtus* et *Le petit Jésus.*

La Honte est le premier d'une suite de deux monologues sur le phénomène des communications de masse. Le deuxième, *Cable-TV,* aura sans doute été gravé à la parution de ce livre.

Ces deux textes, d'une durée à peu près égale, sont essentiels pour l'intelligence d'Yvon Deschamps. Le premier est le constat de cette collision entre deux traditions, l'écrite et l'électronique orale. À défaut d'une culture qui n'a pu s'épanouir, à défaut de traditions mieux enracinées, un peuple sur qui déferlent les innovations technologiques, n'a guère plus de choix : il se branche sur la culture et les traditions les plus complètement « transistorisées ».

La Honte n'est ni une charge, ni une critique, mais une constatation. Il suffisait d'écouter les pénibles *phone-in* que nous offrent depuis quelques années, les stations de radio québécoises, et de traduire les propos entendus : deux fois sur trois, ce sont des plaintes, des lamentations, des reproches pleins d'amertume, un vaste mea culpa de femmes d'un certain âge « qui ont honte d'être Canadienne française ».

Nulle part ailleurs pourrait-on contempler plus à loisir le complexe d'infériorité nationale ? Nulle part ailleurs pourrait-on apprécier le degré de détérioration de la culture ? Je ne dit pas culture québécoise ou française, je dis culture humaine, ou si l'on veut, la capacité d'établir des relations affectives ou des rapports de raison entre un individu et la société qui l'entoure, ou qui l'écoute.

Ces personnages, naturellement, se plaignent tous que « nous autres les Canadiens français on n'est pas capables de s'exprimer ». Cette angoisse, à n'en pas douter, est réelle, et se contenter de se moquer des *phone-in,* ou de tourner en dérision les pauvres captives de la radio d'après-midi, c'est faire preuve de mauvaise foi, ou de peu de jugement.

Même si Deschamps fait semblant de se moquer, rien n'est plus grave que ce monologue là. L'auteur ne parle plus que par onomatopées. Bergman au cinéma n'aurait pu inventer de personnages ou imaginer de voix plus grotesques. Si on ne connaissait de lui que ce monologue, on pourrait penser que Deschamps est un homme très cruel.

Ce qui fait mal, dans *la Honte,* on ne sait si c'est la difficulté quasi-organique de pouvoir articuler une pensée et traduire une émotion, ou bien la contradiction ridicule, effrayante, qui oppose cette infirmité de l'individu au luxe renversant des moyens de diffusion qu'une société moderne a mis à sa disposition. C'est aussi grotesque que d'imaginer un cul-de-jatte qui se prétendrait arpenteur.

On ne peut pas ne pas évoquer, ici, les carences d'un système d'enseignement qui a échoué dans sa mission première : assurer l'épanouissement normal de la langue écrite et parlée, à l'heure où une société peut se vanter, à juste titre, de disposer de tous les instruments qu'il faut pour assurer la diffusion de cette langue là.

En même temps, ce monologue marque une nouvelle orientation dans l'œuvre de Deschamps. Cela se confirme avec plus de certitude encore dans *Cable-TV,* un texte qui traite de l'aliénation collective d'une société — pas uniquement la nôtre — par suite d'une sursaturation des moyens de communication.

Dans les deux monologues, Deschamps s'est éloigné quelque peu des évocations de l'adolescence. Il n'y a plus d'allusion à

l'enfance et au quartier où il habitait ; on retrouve simplement le « gars » de la shoppe, personnage-véhicule de Deschamps. Les années cinquante dont il a fait un portrait si juste et si nostalgique, sont loin derrière. Il est toujours l'enfant du ghetto, mais le ghetto n'est plus essentiellement québécois. Le petit ouvrier de la shoppe fait place, graduellement, à n'importe qui, ou si l'on veut, au consommateur, nouveau dénominateur commun de l'*affluent society.*

Oh ! le gars de Deschamps ne l'a pas conservé longtemps, son câble, trois semaines peut-être ; mais il a été pendant ces trois semaines, consommateur privilégié, québécois émancipé aussi, car de son petit ghetto il était branché sur les trois plus grands réseaux de télévision dans le monde. La guerre, la vie, la mort, étaient en direct.

Ainsi branché, il n'y a vraiment plus de tragédie possible, et l'homme qui subit, l'homme de Deschamps, suit fidèlement le tracé de son destin, confortablement assis devant son veau d'or à oreilles de lapin. Entre les annonces, il regarde les jeunes du Vietnam tomber sous les balles.

« Avant, voir mourir, ça marquait », rappelle Deschamps. Avec la TV, tu t'habitues, tu regardes un Américain mourir là-bas, c'est comme un cowboy dans un western. C'est juste ça. Et il n'y a pas de tragédie làdedans...

Que ce soit Achard, Marcel Aymé ou des gars qui écrivaient du boulevard à la mode, ça ne nous ressemble pas beaucoup ; c'est ça qui a commencé à me fatiguer. J'ai rencontré Clémence Desrochers, et nous avons décidé ensemble de faire des revues, parce que nous n'étions pas capables d'écrire des pièces ; et moi, en plus, je cherchais une forme de théâtre qui se rapprochait plus du vrai monde. Là, dans les revues, c'est comme un gars qui écrit des nouvelles ; quand tu n'as pas assez de jus pour faire des romans, tu traites des sujets d'une façon plus superficielle, en tous cas plus synthétisée. C'était une question de communiquer avec les gens...

Yvon Deschamps niche haut dans un appartement du quartier Côte-des-Neiges. Pour apercevoir de là le quartier de Saint-Henri, où il vécut étant jeune, il faudrait saper la montagne. Des arrière-cours, il a conservé « une maudite mentalité de pauvre », et c'est peut-être à cause de cela qu'il a choisi un quatre pièces assez cher.

Je parlais de naissance privilégiée, naître fondamentalement heureux ou malheureux. La mentalité de pauvre, c'est pareil. Ou tu as une mentalité de pauvre, ou une mentalité de riche. Moi, j'ai une mentalité de pauvre, je vais toujours en avoir une, et je ne m'en sortirai jamais...

Il vous raconte cela sans adopter le ton de la confidence, si cher à ceux qui croient livrer le secret de leur vie. Deschamps ne se confie pas. Il cause, tout naturellement.

Une mentalité de pauvre ? Cela veut dire, ne pas attacher de l'importance à l'argent, qui est le pouvoir, qui est tout, en Amérique du Nord ; être complexé vis-à-vis de ceux qui en ont, qu'il soit médecin, notaire, ministre. Se sortir de ça, c'est bien difficile ; ou encore, une mentalité de pauvre, c'est ne pas être capable d'accepter qu'on te donne quelque chose. Vouloir payer pour tout, même si t'as pas d'argent.

Les riches, sans doute, appellent cela « la dignité du pauvre ». Deschamps la traduit moqueusement dans *l'Argent,* et son père le lui rappelle avec une insistance gênante, qui nous laisse croire qu'à défaut d'avoir pu faire de l'argent, il méprise les gens fortunés.

64

Deschamps traduit là une mentalité bien propre à la génération adulte des années trente, profondément traumatisée par la Dépression, pour ne pas dire châtrée par elle. En compensation, il met en valeur l'orgueil du père, les efforts pathétiques qu'il accomplit pour raffermir l'autorité paternelle, parce que son image, compromise par l'échec, ne lui offre plus d'autre recours que l'intransigeance, et ce sont alors les travers qui deviennent des vertus, dignes d'affection certes, mais ces vertus là même n'échappent pas à la moquerie des enfants.

Dans *l'Argent,* Deschamps fait apparaître dans la chambre d'hôpital où gît son père malade un vieillard personnifiant la sagesse paternelle. « C'était un vieux proverbe à barbe blanche », rappelle le monologuiste. Le vieil homme ne parvient même pas à accomplir correctement sa mission, et le dicton d'usage, énoncé tout de travers, devient une loufoquerie : « Mieux vaut être riche et en santé, que pauvre et malade ».

Rien de ce que propose la société, en exemple de la réussite, n'inspire de respect : le médecin n'est qu'un bourgeois, le député un « patroneux » hypocrite, les deux fils du *boss,* trop minces pour travailler, tout juste assez habiles pour composer le numéro de téléphone qui leur vaudra une bourse d'études.

Cela ne pouvait être vraisemblable dans une autre langue que la sienne.

Je trouvais irrespectueux de jouer
des pièces aux gens, des pièces qui
ne les représentaient pas, et ce qui
m'a confirmé dans mon idée, c'est
qu'un jour je suis allé jouer avec le
théâtre de Georges Groulx, une
pièce de Leclerc, je crois, *le petit
bonheur.* Un organisateur était venu
me voir la veille, c'était le maire ou
l'échevin, et il me dit : « En tous
cas, j'ai bien hâte de *nous* voir sur
la scène ».

Pour la première fois, je me rendais
compte que les gens voulaient se
voir sur la scène, et que, peut-être,
dans les pièces françaises ou amé-
ricaines traduites en français, parce
qu'elles n'étaient pas adaptées à
nous, les gens ne se reconnais-
saient pas.

Je ne suis pas contre le théâtre
français, ce n'est pas ça; mais c'est
comme un malaise, il n'y a personne
qui me ressemble dans ces maudi-
tes pièces là. Avoir quelque chose
à dire, c'est ça qu'on voulait. Nous
autres aussi, on avait quelque chose
à dire...

Ayant abandonné les études à l'âge de seize ans, en 1951, Yvon Deschamps dira de cette période de sa vie :

> Mon adolescence, c'est là que tout s'est joué. Ce fut une période bien dangereuse pour moi, mais c'est là que la vie m'a choyé. J'ai été bien privilégié à côté d'autres personnes qui ont vécu la même adolescence que moi, qui ont été magané au coton, marqués. Moi, j'ai été privilégié, et je ne peux pas savoir pourquoi. Pourquoi moi, et pas le voisin ?

Son père eût préféré qu'il poursuive ses études. Premier de classe, il n'y trouvait plus d'intérêt :

> Tu sais, à Saint-Henri, se rendre en douzième, c'était toute une affaire. On en perdait une maudite gang en septième, la plupart des autres en neuvième. Se rendre en douzième, c'était quelque chose. Mon frère Denis l'a fait, et les arts graphiques en plus. Ça, c'était un modèle. Moi, cinq ans plus tard, après toutes mes folies, devenu comédien alors que je n'étais pas parti pour ça, plus libre que lui, ayant moins travaillé que lui, je me sentais mal de n'avoir jamais réellement souffert d'insécurité. La *job steady,* ça ne m'avait jamais tra-

cassé. C'est quand même dérangeant de voir que la vie t'a choyé
beaucoup...

En 1951, Yvon Deschamps s'embauche
comme messager à la discothèque de Radio-
Canada. Un boulevard, avec Georges Groulx
et Denyse Pelletier, lui révèle le théâtre. Il
prendra des leçons chez Groulx, François
Rozet et Paul Buissonneau. Il fera ses débuts
en 1958 dans *Andromaque,* jouant Pylade, au
Théâtre Universitaire Canadien.

Des classiques aux monologues, il y a
un long cheminement, une recherche de
l'identité, entre l'homme qui veut dire et un
public, de plus en plus nombreux, qui décou-
vre peu à peu que le théâtre peut être aussi
québécois. Il doit à François Rozet de pouvoir lire Musset sans accroc. Il devra à Paul
Buissonneau ses débuts au théâtre *la
Roulotte,* qu'il dirige pour le compte du
service des parcs de la Ville de Montréal.
Avec Buissonneau, dont il a tant appris, il
fait l'apprentissage du métier devant une
nouvelle génération d'enfants qui le redécou-
vriront, douze ans plus tard, dans *l'Osstidcho.*

Ce fut son premier grand succès. Un
monologue, *les Unions, qu'ossa donne,* le
rend célèbre presque du jour au lendemain.
Les origines de ce texte ne manquent pas
d'intérêt, ni d'ironie, si l'on songe que Deschamps, alors, était patron, propriétaire de
deux restaurants dans le Vieux-Montréal.

Le monologue, c'est la revue qui m'a mené là. Je devais improviser un sketch avec Clémence Desrochers, pour sa boîte, et comme patron, dans la vie réelle, je faisais toujours des farces avec mes employés sur le sort du gars bien satisfait de son *boss*. Dans le sketch, au début, c'est moi qui jouais le patron, et Gilbert Chénier, l'employé. Au bout de deux semaines, ça ne marchait pas. Alors nous avons renversé les rôles et nous nous sommes mis à improviser, de sorte qu'étant très à l'aise dans ce nouveau personnage, je me suis retrouvé plusieurs années plus tard, avec un long monologue que je n'avais jamais écrit.

Quant aux restaurants, ce fut une affaire malheureuse. Il réussit à sauver quelques quartiers de viande, avant que les scellés du syndic ne lui interdisent l'accès aux cuisines.

Les restaurants en faillite, il fallait bien faire quelque chose. *L'Osstidcho* fut créé avec Robert Charlebois et Louise Forestier, qui pour la première fois se produisaient ensemble et avec Deschamps dont le monologue devait servir de thème au spectacle.

Je l'ai écrit, ce monologue, sans jamais penser d'en écrire un autre ensuite. Le spectacle devait durer

74

trois semaines ; il dura bien près de trois mois, depuis le Théâtre de Quat'Sous jusqu'à la Place des Arts. Tu penses !

Pour la première fois peut-être sur scène, Deschamps se sent bien dans sa peau. Si bien qu'on le prévient contre les dangers d'un personnage trop bien campé ; mais le monologuiste, habile, en fera sa fortune :

J'ai découvert, alors, que mon gars des unions, c'était une sorte de véhicule, rien de plus, par lequel je pourrais faire passer n'importe quoi. Il n'y a rien qui ne puisse être fait avec lui. Je le change de situation, lui fais dire parfois des choses qui n'ont rien à avoir avec lui. Les gens, aujourd'hui, ne se posent plus de questions. Il savent bien qu'il y a un personnage, et qu'il y a moi. Mais ils ne sont jamais certain lequel c'est.

Ces gens, Deschamps « aime leur parler, parce que dit-il je veux être le plus vrai possible en face du monde, pour être le plus vrai possible en face de moi. C'est à travers cette façon de parler, et d'écrire, que je me sens bien à mon aise ».

Deschamps s'interdit d'écrire « bien », même s'il peut bien écrire. Mais il ne veut

pas écrire un texte en empruntant un style qu'il devra ensuite interpréter à sa manière.

Je ne veux plus interpréter ; je veux, simplement être moi-même. Et pour cela, il faut que j'écrive de cette façon-là .

Et c'est parce qu'il est « de cette façon-là » que Deschamps, en moins de trois ans est devenu non simplement une vedette, mais un personnage vivant dans lequel, qu'il le veuille ou non, le grand public veut retrouver « le Québécois moyen ».

Cette identité ne serait pas réalisable si Deschamps ne possédait un incroyable don de pédagogue. Ses accrocs à la langue, ses constructions grammaticales, ses facéties verbales constituent une leçon de français à rebours, sans douleur, qui suscitent par exemple l'admiration des normaliens. Dans les CEGEP, on ne compte plus les étudiants qui lui consacrent leurs travaux.

Le petit Jésus, au point de vue pédagogique est un modèle. Traitée avec irrévérence, l'enfance du prophète retrouve un caractère poétique que la platitude de nos manuels d'histoire sainte lui avait enlevés.

Fait significatif, de toutes les compositions d'Yvon Deschamps, celle-là seule dépeint l'homme comme un être capable d'initiative, même de révolte.

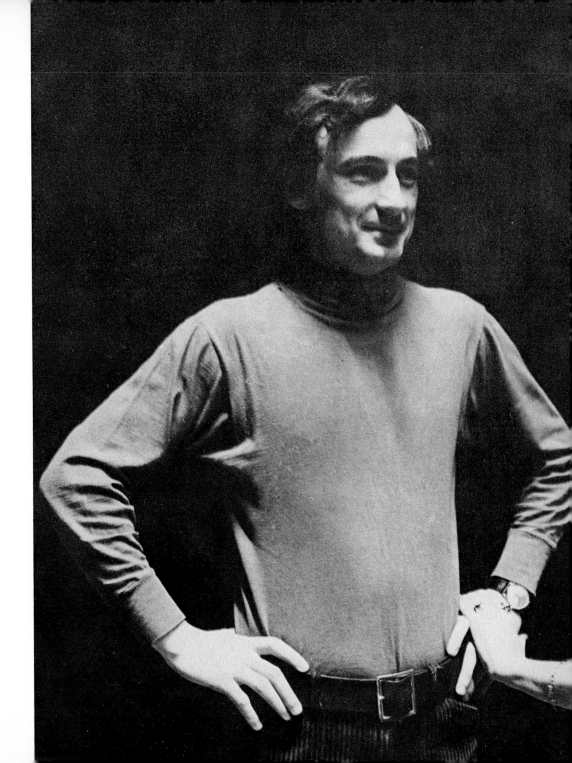

Lorsque j'écris un monologue, c'est qu'il y a quelque chose qui m'a achalé longtemps, une chose ridicule, absurde, dans la vie, comme l'injustice, ou quelque chose qui m'a marqué. Tout à coup, je trouve une façon d'en rire. Pour m'en sortir. Ma seule défense, c'est d'en rire. Quand ça m'achale vraiment, dans un monologue de quinze minutes, il y aura peut-être une minute de révolte...

Faut-il citer cette évidence navrante, tirée du *Bonheur*?

Sans le bonheur, t'es pas heureux. Le bonheur, savez-vous ce qu'il fait, dans la vie ? Le bonheur, dans la vie, il passe. Et si t'es pas là quand il passe près de toi, tant pis...

Il suffit d'attendre, peut-être, que quelque chose arrive. Ne jamais rien décider, toujours attendre que quelque chose arrive. Comme dans le *Notre Père*.

Deschamps lève les bras, d'un air un peu résigné :

C'est notre condition à nous, comme Québécois, d'attendre. On est comme ça individuellement, parce qu'on est comme ça collectivement. La collectivité, c'est juste l'explosion des individus...

Parce qu'on est colonisé, tout une gang de gars qui veut une *job steady* et un bon *boss,* à n'importe quel niveau que ce soit. C'est pour ça que des gens me disent, eh bien, ton personnage, il est restreint parce c'est un ouvrier dans une *shoppe* non syndiquée.

Je pense que ce serait la même affaire, s'il était médecin. À un certain niveau, naturellement, un gars plus évolué prend certaines initiatives, mais dans le genre de celui que j'entendais l'autre jours à la télévision. Il disait :

« Moi, j'ai une entente avec ma femme chez-nous. Je décide de toutes les affaires importantes moi-même, et elle s'occupe des petites affaires ».

Lesquelles ? Le budget familial, l'éducation des enfants. Lui, il décide les grosses affaires : si Pompidou va rentrer en France, si les Anglais vont rentrer dans le Marché Commun, quand la guerre va finir au Vietnam ; il décide tout ce sur quoi il n'a aucune emprise. Mais il ne peut prendre aucune responsabilité là où il pourrait agir lui-même.

On est comme ça, poursuit Deschamps. On attend parce qu'Ottawa est loin, et Ottawa prend les
décisions au niveau de tout le pays,
sur lequel on n'a aucune emprise.
On attend au provincial, parce que
là non plus on n'est pas gâté, et
en plus on a la méchante habitude
de penser que parce qu'un gars
occupe tel poste, c'est parce qu'il
est bon...

On ne veut se mêler à rien, on veut
juste avoir la job steady et le bon
boss, et manger tous les jours.
Parce que nous n'avons pas d'avenir
comme collectivité. Aucun avenir.
C'est le néant, la fin dans quelques
générations. Ça se traduit sur le
comportement des individus. Ils
n'ont pas d'ambition. Ils attendent...
J'en suis convaincu. Il n'y a plus
d'avenir. Pour pouvoir survivre aux
années qui viennent, il aurait déjà
fallu en 1837 que les troubles aient
marqué assez de monde pour que
le travail continue, pendant des
années ; qu'on ait pris une certaine
conscience de nos problèmes ;
qu'on se soit rendu compte que
nous étions capable de survivre
seuls, c'est-à-dire en comptant
d'abord sur nous-mêmes. Parce
qu'avoir peur de se séparer, c'est
exactement le même complexe qu'à

dix-huit ans, lorsqu'on est pas capable de partir de la maison : parce qu'on a peur d'être tout seul. Le gars, il ne sait pas si y va avoir une job et manger tous les jours comme il voudrait. C'est la même maudite affaire.

Nous ne possédons rien. Comment veux-tu qu'un gars sente qu'il puisse participer à quelque chose, à des décisions qui vont décider de son avenir. Certainement, mes personnages, ils subissent. Ils font ça à la journée.

Pour les individus c'est la même affaire. C'est pour ça que j'ai écrit *les Anglais,* parce que tant qu'on va continuer de penser que nos problèmes viennent d'ailleurs, on ne les réglera jamais.

Il s'arrête un instant, et contemple dans l'album de photos un instantané de la famille Deschamps à Sainte-Anne-de-Beaupré.

Ça, c'est bien nous autres... C'est sur que les Anglais ont des torts, mais c'est pas de leur faute. Eux, ils travaillent pour eux. Ils sont venus ici, ils ont pris le pays, et depuis ce temps-là qu'ils s'arrangent. Naturellement, ils étaient plus forts que nous.

Pourtant, ça fait au moins cent ans qu'on pourrait être souverain, qu'on est assez forts pour ça. On ne l'a jamais fait parce que les hommes en place ont toujours été complexés, colonisés eux aussi, aliénés dans le sens où ils ne peuvent décider de rien, poignés comme un noir d'Afrique. Nous c'est pareil : ça marche, GM aux USA, on a des jobs, les Américains ont une récession, on n'a plus de jobs, et toi tu manges ta claque, et tu chômes.

Profession de foi politique ? Même pas. Deschamps constate ce qu'il est, un produit de l'histoire québécoise.

S'il existe une dimension politique dans son œuvre, il ne faut pas la chercher ailleurs. Mais Deschamps abandonne au public le surcroît de ses personnages. À lui de juger. Derrière une simplicité parfois désolante, derrière cette façon qu'il a de ne pas jouer sur scène, de ne pas « faire du théâtre » ; derrière une langue aux apparences si faciles ; derrière tout cela, une discipline, une rigueur, une technique redoutables qui en font aujourd'hui le maître incontesté de ce grand art du monologue. Un art honnête, qui ne tolère pas la fatuité, encore moins la démagogie.

NOTES BIOGRAPHIQUES

1935 :   Naissance, le 31 juillet, à Montréal, rue Laurier.

1940 :   Cours primaire et secondaire à l'École Supérieure de Saint-Henri, quartier où habite encore la famille Deschamps. Leçons de piano.

1951 :   Abandonne les études après une onzième année.

1953 :   S'embauche comme messager à la discothèque de Radio-Canada. Un boulevard, avec Georges Groulx et Denyse Pelletier lui révèle le théâtre. Il prendra des leçons chez Groulx, François Rozet et Paul Buissonneau.

1958 :   Débuts au théâtre, dans *Andromaque,* présentation du Théâtre Universitaire Canadien. Il joue le rôle de Pylade. Il quitte Radio-Canada.

1959 :   Première apparition à la télévision dans *the Big Search,* au réseau CBC. Débuts à la *Roulotte,* théâtre mobile de la Ville de Montréal, que dirige Buissonneau. On y monte *Orion le tueur.* Au Festival d'Art Dramatique, Buissonneau l'invite à faire partie de *la Bande à Bonnot.* Il jouera aussi dans *les Femmes Savantes,* présentation du Théâtre Universitaire Canadien, mise en scène de Paul Hébert.

1960 :   Avec le Théâtre de la Poudrière, dans *Malborough-s'en-va-t-en guerre,* de Achard ; à l'Orphéum, dans *le Manteau de Galilée,* une pièce de Buissonneau ; à l'Egrégore, dans *la Femme Douce* de Dostoïevski. À la télévision, il joue dans une série pour enfants, *Piccolo.*

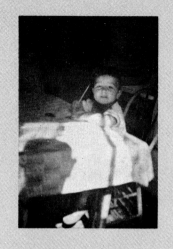

1961 : Joue de la batterie pour Claude Léveillé. Se produit dans *Domino* à la télévision. Joue avec Paul Buissonneau dans une pièce de Claude Jasmin au Festival d'Art Dramatique. Décroche un emploi dans *les Trois Coups de Minuit*, d'André Obey.

1962 : Joue dans *Chambre 110* et dans *l'ABC de Notre Vie*, une pièce de Jean Tardieu.

1963 : Reprend *le Manteau de Galilée*, avec Buissonneau. Joue dans *la Boîte à Surprises* à la télévision et dans *la Corde au Cou* de Claude Jasmin. Première revue, avec Gilles Richer et Bernard Sicotte : *le Kid s'en va-t-en guerre*. Devient assistant de Buissonneau à la Roulotte.

1964 : Il fonde le Théâtre de Quat'Sous avec Buissonneau, Claude Léveillé et Louise Latraverse. À l'été on l'emploie dans *le Cirque aux Illusions* et *la Jument du Roi*, au Théâtre de Repentigny. Au Rideau Vert, il tient un rôle dans *les Gueux au Paradis.* Joue dans un premier film, *Délivrez-nous du mal*, scénario de Claude Jasmin, réalisation de Jean-Claude Lord. Il ouvre un restaurant dans le Vieux-Montréal.

1965 : Il joue dans *les Fantastiks,* au TNM.

1966 : Il joue dans la série *D'Iberville*, réalisée par Pierre Gauvreau.

1967 : Il participe à deux revues à la Boîte à Clémence avec Clémence Desrochers et Gilbert Chénier.

1968 : Ses restaurants font faillite. Fermeture de la Boîte à Clémence. Naissance de *l'Osstidcho*, avec Robert Charlebois et Louise

Forestier. Un premier classique : *les Unions, qu'ossa donne* ? Reprise de ce premier monologue à la Place des Arts. Il y ajoute *la Saint-Jean-Baptiste* et en novembre écrit *Pépère, Tesstrardinaire* et *Nigger Black*. Succès à Montréal et en province.

1969 : Son premier disque, *les Unions...* se vend à 30,000 copies. Reprise de *l'Osstidcho*. Pour le spectacle de Marie Laforest, à la Place des Arts, il écrit *l'Argent.* Se produit à la Place des Nations avec Forestier. Au Théâtre du Canada, il présente en première *le Bonheur.* Le disque est vendu à 40,000. Il fait une tournée avec Forestier. En octobre, il joue *Moi ma maman m'aime*, avec Louise Forestier, Pauline Julien et Gilbert Chénier. La musique est de Jacques Ferron. En décembre, il joue *Attends ta délivrance*, à la Comédie Canadienne. Au cours de cette seule année, il se produit 310 fois sur scène.

1970 : Joue au Patriote. Enregistre un troisième disque, tiré à 50,000 : *le petit Jésus, la Honte* et *le Fœtus*. Il écrit aussi *Dans ma cour*, et *Cable-TV.* Voyage en Guadeloupe et en Europe. Produit un spectacle au théâtre de Maisonneuve. Il donne 250 spectacles dans l'année.

1971 : Joue dans *Deux Femmes en Or,* un film de Claude Fournier. Reste à l'affiche au Patriote un mois, entreprend une tournée québécoise, puis ontarienne. Troisième long-jeu, avec *Dans ma cour* et *Cable-TV,* tiré à 75,000 copies. Gilles Richer l'emploie dans un film avec Dominique Michel. En six mois, il aura donné 180 spectacles.

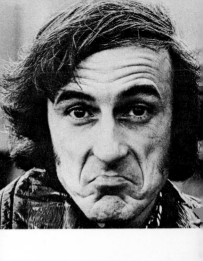

TABLE DES MATIÈRES

Achevé d'imprimer par les Ateliers de la Librairie Beauchemin Limitée à Montréal
le quinzième jour du mois d'octobre de l'an mil neuf cent soixante et onze
Imprimé au Canada   Printed in Canada

DISCOGRAPHIE

Polydor 542.503

Polydor 542.508

Polydor 2424 017

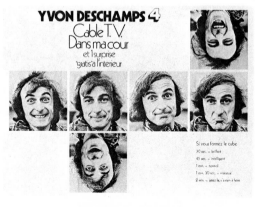

Polydor 2424 033